Paul serait-il le nouveau Michener, le Clavell du Québec ? Avec la parution de *Drakkar*, il prend une place encore inoccupée au Québec, celle du romancier des civilisations.

FRANCE LAFUSTE, **LE DEVOIR**

La réussite littéraire est un effet de l'art, et celle de *Drakkar*, d'être écrit dans une langue belle, poétique, rude et exaltée comme ses personnages de conquérants. Si bien que l'auteur y est aussi islandais qu'il était nippon dans son précédent roman, *Katana*... Épopée et saga, *Drakkar* est une œuvre au souffle ample. Une autre belle réussite pour un écrivain qui ne craint pas les Himalayas littéraires et marche dans la foulée des Michener et Clavell.

JEAN-ROCH BOIVIN, **LE DEVOIR**

L'auteur Paul Ohl ne craint pas les remontées dans le temps : d'abord les Shoguns, aujourd'hui le tournant du premier millénaire. Et c'est sans doute pourquoi l'ambition de ses projets dépasse et de beaucoup ce qu'on a l'habitude de voir en littérature québécoise.

ANNE-MARIE VOISARD, **LE SOLEIL**

Après avoir attiré le public et la critique avec *Katana, le roman du Japon*, Paul Ohl, communique son émerveillement d'enfant avec *Drakkar*.

SERGE DROUIN, **LE JOURNAL DE QUÉBEC**

COLLECTION
QA

Paul Ohl combine les qualités du chercheur et du romancier. Si l'équation est est simple, le résultat est plus que probant. Le roman historique lui va comme un gant. Avec *Drakkar*, Paul Ohl a voulu partager sa passion pour les Vikings. C'est tout à fait réussi.

ANDRÉ DUCHESNE, L'ŒIL RÉGIONAL

Les Vikings conservaient, avant la publication de *Drakkar*, une auréole de mystère. Paul Ohl, en plus de nous offrir un voyage dans le temps, nous présente des personnages bien campés dans une réalité qu'on pourrait autrement avoir du mal à s'imaginer.

DORIS HAMEL, LE NOUVELLISTE

Drakkar est un long voyage captivant au cœur d'une intrigue de grande intensité. Il y a des personnages merveilleux dans ce roman. L'auteur a su enfanter des personnages qui auront traversé toutes les pages du volume, vivant chaque instant en éprouvant d'excessifs sentiments.

CHRISTIANE LAFORGE, LE QUOTIDIEN

Paul Ohl aura réussi l'exploit dans son roman *Drakkar* de ressusciter sous nos yeux toute cette ambiance d'une époque révolue depuis longtemps et nous transporter littéralement dans cet univers de guerriers, voyants, magiciens et moines qui évoluaient dans le plus grand mystère. L'histoire de *Drakkar* se lit d'un seul trait ; tout y est.

CLAUDE GIRARD, LE RÉVEIL

Avec *Drakkar*, Paul Ohl a réussi un exercice qui aura exigé qu'il démonte un mécanisme d'un passé, constitué d'un univers d'ombres, et qu'il jette une lumière sur ce théâtre éteint pour que, l'espace de quelque 500 pages, le lecteur oublie le monde dans lequel il vit pour pénétrer celui de la nuit.

PIERRETTE ROY, LA TRIBUNE

L'histoire de Vikings que nous raconte Paul Ohl fascine et séduit. Faire resurgir les Vikings aussi vivants qu'à cette époque révèle un sens du défi bien ancré... Encore un peu et ce livre pourrait être classé parmi les grands classiques.

MANON BOURBEAU, LA GAZETTE POPULAIRE

Après un premier roman historique d'une belle venue et qui prend rang de ce fait parmi les rares réussites qu'a connu ici ce genre, Paul Ohl donne un deuxième roman relavant de la même veine d'inspiration. *Drakkar* prouve, une fois encore, que Ohl n'a pas présumé de ses forces. Rarement, en effet on a vu une entrée en matière de roman historique plus efficace. Sa puissance d'évocation rappelle tout à fait la manière des grands conteurs.

YVON BERNIER, LETTRES QUÉBÉCOISES

Le roman de Paul Ohl est un livre prenant, bien fait, fort d'une structure et d'une narration maîtrisées, avec des héros qui ne sont pas loin de prendre des proportions mythiques.
Au seuil d'une production littéraire où les thèmes de l'errance et de la solitude occupent beaucoup d'espace, Paul Ohl nous propose à sa façon une ouverture sur le monde, comme un guetteur qui observe et décrit, pour notre plus grand bonheur, des peuples dont nous avons tout à apprendre et qui seraient peut-être autrement oubliés.

MARIE-CLAIRE GIRARD, LE DROIT

La trame de *Drakkar* repose sur l'opposition tragique du destin des jumeaux Bjorn et Ulf qui, séparés dès leur naissance, finiront par s'affronter dans des scènes paroxystiques qui rappellent le Ragnarok, l'équivalent scandinave de notre Apocalypse. L'auteur n'a pas souscrit au style de saga caractérisé par la concision, un froid réalisme et le morcellement du discours, lui en préférant un autre, plus abondant, qui ne dédaigne pas l'hyperbole indispensable à l'élaboration d'un monde onirique.

MAURICE POULIOT, NUIT BLANCHE

DRAKKAR

Le roman des Vikings

Du même auteur

Les Arts martiaux : l'héritage des Samouraï, Montréal, Éditions La Presse, 1975.

La Guerre olympique, Paris, Éditions Robert Laffont, 1977.

Les Gladiateurs de l'Amérique, Paris et Montréal, Éditions Internationales Alain Stanké, 1977.

Knockout inc. (roman), Montréal, Éditions Internationales Alain Stanké, 1979.

Le Dieu sauvage, Montréal, Éditions Libre Expression, 1980.

La Machine à tuer, Montréal, Éditions Libre Expression, 1981.

Katana : le roman du Japon, Montréal, Éditions Québec/Amérique, 1987.

Soleil noir : le roman de la Conquête, Montréal, Éditions Québec/Amérique, 1992.

L'Enfant-dragon, Montréal, Éditions Libre Expression, 1994.

DRAKKAR

Le roman des Vikings

Paul Ohl

ÉDITIONS QUÉBEC/AMÉRIQUE

425, RUE SAINT-JEAN-BAPTISTE, MONTRÉAL (QUÉBEC) H2Y 2Z7 (514) 393-1450

Données de catalogage avant publication (Canada)

Ohl, Paul E.
Drakkar : le roman des Vikings
(Collection QA ; 12)
Publié à l'origine dans la collection : Collection Deux Continents. Série Best Sellers.
Édition originale : c1989.

ISBN 2-89037-771-7
I. Titre.
PS8579.H5D72 1995   C843'.54   C95-940130-X
PS9579.H5D72 1995
PX3919.2.O34D72 1995

Les Éditions Québec/Amérique bénéficient du programme de subvention globale
du Conseil des Arts du Canada.

© 1995, Éditions Québec/Amérique inc.

Dépôt légal: 1er trimestre 1995
Bibliothèque nationale du Québec
Bibliothèque nationale du Canada

À Hélène,
qui fut et demeure
toute mon inspiration.

La réalisation de *Drakkar* a été possible grâce à de nombreuses et précieuses collaborations. Je remercie très sincèrement madame Gerd Halle, du Consulat général de Norvège à Montréal, madame Oda Slettnes du ministère norvégien des Affaires étrangères, madame la professeure Ellen Karine Hougen de l'Oslo University Museum of Antiquities, le professeur Per Sivas Andersen de l'Université d'Oslo, Me Dan Halle du Norvegian Club, le personnel du Viking Ship Museum et du Norsk Folkemuseum de Bydgoy, en Norvège, monsieur Reynir Karlsson du ministère de l'Éducation d'Islande, le professeur Olafur Halldorsson de l'Université de Reykjavik en Islande, ainsi que le personnel du Musée National d'Islande.

J'exprime des remerciements fraternels et ma vive reconnaissance à Ingolfur Hannesson et à Thorsteinn Einarsson. Ils furent, l'un et l'autre, des hôtes incomparables et des guides merveilleux. Mais au-delà de leur contribution, ils m'ont honoré de leur amitié.

Le personnel des Éditions Québec/Amérique n'a pas ménagé son soutien. Le président, Jacques Fortin, a eu foi dans le projet, Emmanuel Blanc lui a donné sa forme définitive, Diane Martin, discrète mais combien efficace, en a fait un bien meilleur livre que le manuscrit original et Andréa Joseph en a réalisé le montage. Je les en remercie de tout cœur.

Gina Laveau, ma collaboratrice de toujours, a déchiffré mon écriture et soutenu la production. Christian, Jan-Erik et Brigitte étaient là, fidèles. Ils se reconnaîtront dans ce roman.

Un serviteur bien gras
n'est pas un grand homme.
Un esclave que l'on rosse
est un grand homme,
car dans sa poitrine
habite la liberté.

Halldor Kiljan Laxness
Prix Nobel

Nous avons conscience d'être
les rejetons d'un vieil arbre
qui était déjà puissant
bien longtemps
avant notre époque.

Selma Lagerlof
Prix Nobel

Sois toi-même,
le roi te recevra...

Félix Leclerc

Viking

Ce roman est inspiré des légendes, des sagas et des temps obscurs du Moyen Âge. C'était une époque marquée de la grande peur des Temps derniers. La Création était ébranlée par autant d'événements exceptionnels que les moines, les seuls à savoir manier la plume et à interpréter les Écritures, annonçaient comme précurseurs de l'Apocalypse. Il se commettait en ces temps-là beaucoup de crimes. Chacun voyait la justice dans sa propre volonté. Les rois francs, intronisés par leur élévation sur le pavois, portaient pour tout insigne, à la place du sceptre, la lance, et pour signe distinctif, la longue chevelure. Les impôts ne rentrant pas, la richesse des rois se réduisait à des caisses de pièces d'or, de verroterie, de bijoux que les femmes, les concubines, les enfants, les bâtards se disputaient à leur mort comme ils se partageaient les terres, le royaume lui-même. Dans le désordre des invasions, évêques et moines étaient devenus les chefs d'un monde désorganisé.

Beaucoup plus au Nord existait une terre sauvage ; un monde à part. Il y avait la mer, une suite de falaises, des forêts sans fin. Sous le grand manteau

des arbres et des brumes se trouvait le refuge des gé-
nies païens et des runes magiques. La mort était
omniprésente, souvent violente, parfois étrange. Elle
frappait les navigateurs, surgissait au détour d'un
chemin, fauchait ceux qui portaient les armes tout
comme ceux qui gardaient le bétail. Ce monde était
celui des rites antiques, des fantômes et des revenants. Le peuple qui l'habitait était cruel, sans merci.
Son cri de guerre résonnait comme le fracas d'une
mer furieuse. On appelait ces gens Vikings, et leur
génie était né des eaux. Guerriers certes, mais marins aussi ; les plus audacieux du monde, capables de
traverser l'Atlantique sur des nefs non pontées, à la
limite des glaces de l'Arctique. Ils étaient héroïques et
brutaux, tout à la fois. Leur quotidien tenait de la
légende. Ils s'inspiraient de la magie, de la prophétie,
de l'apparition des morts, de la froidure et de la quête.

Au tournant du millénaire, l'hégémonie viking battait son plein. Les chefs de guerre fondaient leur autorité sur une tradition ancestrale, sur le pillage saison-
nier et sur un mode particulier d'association inspiré
par les nécessités du moment. La nation norvégienne
n'existait pas encore, sinon par une poussière d'États
minuscules, parfois réduits à un fond de fjord, une
vallée, une bande côtière. Chacun de ces lieux était devenu, à la longue, une sorte de petite enclave plus ou
moins indépendante, gouvernée par des chefs qui
avaient fini par constituer autant de petites dynasties.
Pourtant, les Vikings, malgré l'esprit d'indépendance
farouche qui leur inspirait autant d'entités différen-
tes, volontiers antagonistes, se retrouvaient dans les
assemblées du peuple, ces Thing où se prenaient, en
commun, entre hommes libres, les décisions intéres-
sant toute une communauté, et partageaient de vieilles habitudes fondées sur la religion païenne comme le
culte de la famille et une conception de la justice, également sacrée.

La cruauté des Vikings n'est pas un mythe; pas plus d'ailleurs que leurs exploits marins, leurs chefs-d'œuvres poétiques et leur lutte pour l'indépendance. Les sagas nous parlent avant tout des Vikings du Xe siècle : des hommes complets, fermiers, pêcheurs, forgerons, artisans, juristes, poètes, à l'occasion magiciens; leurs épouses étant des maîtresses femmes, aussi attentives à la bonne marche de la maisonnée qu'à la préservation de l'honneur du clan, parfois voyantes, un peu sorcières, passablement autoritaires, et gardiennes fidèles des traditions. Pionniers de la mer, les Vikings s'embarquaient avec femmes, enfants, bétail et mobilier pour affronter les mers inclémentes et aborder des pays inconnus. Ils peuplèrent ainsi l'Islande et en firent un pays sensiblement différent des autres nations scandinaves. Dans ce pays il n'y avait pas de roi, aucun pouvoir héréditaire de quelque nature que ce fût. Un pays qui devint le phare de l'indépendance.

Mais si les Vikings étaient grands voyageurs, hôtes magnifiques, fins connaisseurs en chevaux de combat, intransigeants défenseurs de leur réputation, ils étaient également guerriers redoutables et pillards. En trois siècles, ils ont attaqué et souvent détruit la plupart des villes et des monastères du monde chrétien : en Irlande, en Grande-Bretagne, en Germanie, aux Pays-Bas, en Belgique, en France, en Espagne, au Portugal, au Maroc, en Italie et en Turquie. Le premier raid sur la côte anglaise, en 789, n'engageait que cent vingt hommes. Cent ans plus tard, une flotte de sept cents drakkars remontait la Seine, pénétrait au cœur de la France et entreprenait le grand siège de Paris avec plus de trente mille guerriers. En 1066, le dernier descendant viking, Guillaume le Conquérant, attaquait l'Angleterre avec mille cinq cents drakkars et soixante mille hommes.

Si l'Histoire demeura marquée par les grandes
invasions barbares, trois siècles de pillages qui mirent
l'Occident chrétien à feu et à sang, il faut également se
souvenir que les Vikings entreprirent avant quiconque
la grande migration vers l'ouest, qui aboutit à la colonisation de l'Islande, du Groenland et, d'une certaine
façon, de l'Amérique du Nord. Sans avoir changé la
face du monde, refusant de bâtir des empires, ils léguè-
rent à la postérité la maîtrise des choses de la mer et,
pour foncièrement individualistes qu'ils furent, un certain sens de la démocratie et de la liberté.

Les personnages de ce roman sont fictifs pour la
plupart, à l'exception toutefois d'Olaf Tryggvesson, roi
de Norvège de 995 à 999, d'Eirik Raudi dit le Rouge,
colonisateur du Groenland, de son fils, Leif Eiriksson,
découvreur de l'Amérique, d'Egill Skallagrimsson, le
poète le plus célèbre d'Islande, et de Gerbert d'Auril-
lac, devenu en 999 Sylvestre II, le pape de l'an mil.

Le contexte d'époque est cependant authentique.
La trame du roman s'appuie sur les grands ouvrages
de référence, les seuls véritables témoins de cet âge
assez obscur. Ces ouvrages ont tous été écrits entre le
XIIe et le XIIIe siècle. Il s'agit du **Heimskringla** (Sagas des rois de Norvège) de Snorri Sturluson; du
Islendingabök (Livre des Islandais) de Ari Thorgilsson dit le Savant; du **Landnamabök** (Livre de la
colonisation de l'Islande) du même Ari Thorgilsson;
de l'**Islendinga Saga** (Saga des Islandais) de Sturla
Thördarson; de l'**Edda** et particulièrement du
Hävamäl (Dits du Très-Haut) de Snorri Sturluson;
du **Konungsskuggsja** (Miroir Royal ou Speculum
Regale), ouvrage norvégien du XIIIe siècle et des
quinze sagas islandaises, parmi lesquelles la Saga
d'Eirik le Rouge, la Saga des Groenlandais et la Saga
d'Egill, fils de Grimr le Chauve, toutes traduites et
annotées par un des grands spécialistes des questions
scandinaves de notre époque, monsieur Régis Boyer.

Voici mille ans, le mot «Viking» était prononcé en Occident avec épouvante. En vérité, l'Histoire montre qu'au seuil du second millénaire, chaque Viking constituait un royaume de solitude et de liberté, portant en lui la mer, le roc, un champ de neige et la poésie. Les mers étaient siennes parce qu'il était seul à oser les affronter. Il était taillé dans la pierre, lavé de pluie, fouetté de froid, de neige et de sel, et offert, chaque fois, aux dieux nordiques. Il en fut ainsi jusqu'au crépuscule des Puissances.

Prologue

Avant que les Norvégiens colonisent l'Islande, l'île était habitée par des hommes que les Nordiques appelèrent «papars»; ils étaient chrétiens et les gens considéraient qu'ils étaient venus des îles Britanniques parce que, entre autres choses, on trouva après leur départ des livres, des cloches, des crosses.

Dans un manuscrit, **De Mensura orbis Terrae**, Dicuil consigna en 825 une description des voyages effectués par des moines irlandais, jusqu'à des îles se trouvant dans le Nord-Ouest, que l'on peut identifier avec les îles Féroé et l'Islande; ces moines désiraient s'établir sur ces terres en tant qu'ermites et y répandre la foi chrétienne.

Tout autour de notre île d'Hibernia, il y a des îles : Elles sont particulièrement nombreuses dans le Nord-Ouest et dans le Nord. Sur certaines de ces îles, j'ai vécu, sur certaines j'ai débarqué; d'autres, je les ai aperçues et à propos d'autres encore j'ai lu : Il y a maintenant trente ans que des clercs qui avaient demeuré dans cette île, Thulé, c'est-à-dire Islande, depuis les calendes de février jusqu'à celles d'août, me racontèrent que

*non seulement lors du solstice d'été, mais encore
quelques jours avant et après, le soleil disparaît
pour peu de temps, et semble seulement se cacher
derrière une colline; de sorte que, même pendant
cette courte absence, on n'est pas privé de jours.
Aussi voit-on assez clair pour se livrer à toute
sorte d'occupation, et l'on pourrait même chercher
ses poux, comme en plein jour; il est probable que
si l'on était sur le sommet d'une haute montagne,
on ne verrait pas le soleil se coucher. Au milieu de
ce très bref instant, il est minuit au milieu de la
Terre et de même je suppose qu'au solstice d'hiver
et l'espace de quelques jours de part et d'autre de
cette date, l'aube n'est vue qu'un court instant à
Thulé, alors qu'il est midi au milieu de la Terre.
Au reste, ceux qui ont écrit que cette île était en-
tourée d'une mer de glace en ont évidemment men-
ti, de même que ceux qui ont prétendu que, depuis
l'équinoxe de printemps jusqu'à celui d'automne,
on jouissait sans interruption de la lumière du
soleil, et vice-versa, qu'on en était privé jusqu'à
l'équinoxe de printemps de l'année suivante; car
les clercs qui ont vogué vers cette île, dans le
temps du grand froid, ont pu y aborder; et en y
demeurant ils ont continuellement vu l'alternance
du jour et de la nuit. Il est vrai qu'à une journée
de navigation au nord de cette île ils ont trouvé la
mer gelée.*

Depuis le début des siècles, ces îles étaient dé-
sertes et elles le sont redevenues à présent à cause
des pirates nordiques qui ont chassé les papars. Cependant, elles sont pleines de moutons et d'oiseaux de
mer. Nous n'avons jamais retrouvé mention de ces
îles dans les livres.

Harald, fils de Halfdan le Noir, avait repris l'héritage de son père dans le Vik. Il avait fait serment de

ne pas se faire couper ni peigner les cheveux tant
qu'il ne serait pas le roi absolu de toute la Norvège.
On le surnommait Harald aux Longs Cheveux. Il se
battit contre les rois les plus proches et les vainquit.
Il se rendit au nord et y livra maintes batailles. Puis
il se porta contre les derniers rois : les frères Herlaug
et Hrollaug. Mais quand les frères apprirent ses ex-
péditions, Herlaug entra, avec onze hommes, dans le
tertre qu'il avait fait faire trois hivers avant. Puis le
tertre fut refermé. Harald devint le souverain unique
de la Norvège.

Lorsque ce roi commença à lever des impôts sur
tous les paysans libres, ces Vikings ne purent le tolé-
rer. Ils passèrent la mer, naviguant vers l'inconnu,
jusqu'à une grande île, mystérieuse, située aux confins
de la mer des glaces. Ultima Thulé, disait-on. C'était
l'Islande. Il n'y avait ni roi ni nobles; l'autorité d'un
homme se mesurait au nombre de ses partisans. Ils dé-
couvrirent le lieu où, à l'époque du solstice d'été, ils
pouvaient, une fois l'an, élaborer les lois et rendre justice. Un espace sacré, Thingvellir, où le souffle des
dieux avait rendu l'esprit et la sagesse à la pierre.

Un siècle encore passa. Il fut prédit que l'an mil
allait marquer la fin des temps. Il fut également prédit qu'il y aurait des signes annonciateurs de l'Apocalypse; un de ces signes serait la fureur des hommes
du Nord.

La vision des espaces du Nord évoque alors la
terreur. La Norvège n'est pas encore véritablement
un pays et l'Islande, à peine une immense rocaille
ourlée par le feu, le vent et les glaces.

Nous sommes en 970.

Première partie

Le maître des runes

On dit aussi que nul n'obtient
Compensation pour fils
S'il n'en engendre lui-même un autre
Qui pour autrui soit
Estimé même homme que son frère.

(*Saga d'Egill*, fils de Grimr le Chauve)

La magicienne

Une nature impressionnante régnait avec ses hauts glaciers, ses pentes boisées et ses ravines. Aldis, la vieille magicienne, frissonnait sous ses hardes. L'air était glacial. Une faible neige folâtrait autour d'un rassemblement de bâtiments couverts de tourbe. Les masures étaient blotties au pied de la montagne, à l'endroit le plus menacé par les avalanches. La plupart étaient déjetées, avec des toits roussis et sans âge et des cheminées fumantes. Sur le terrain plat, il y avait un parc à moutons aux clôtures de pierres. C'était le pays du silence et du froid. La vieille Aldis se souvenait mal, mais elle savait que droit devant se dressait la paroi verticale de la montagne. Et que sur l'autre versant s'étendait une forêt sombre. Ensuite surgissaient d'autres montagnes, d'autres forêts. Il y avait des pentes abruptes couvertes de taillis, des passes de montagnes tapissées d'une herbe drue. Plus bas, des landes à bruyère parsemées de cascades et de rivières tumultueuses donnaient sur des fjords d'où émergeaient des îlots et des récifs. Des troupeaux de phoques y dormaient sur la pierre. Mais là s'arrêtaient les souvenirs de la vieille.

Le froid devenait mordant et Aldis sentait que ses doigts s'engourdissaient rapidement. Elle avait la taille voûtée, mais, malgré l'âge, elle montrait encore une belle assurance. Son visage, large d'une aune, avait la texture du vieux cuir. Ses mains, à la peau violacée par les intempéries, étaient épaisses, parsemées de cals et de durillons, comme celles des Vikings qui, durant toute leur vie, tiraient sur les rames des drakkars. Sa cotte mal coupée, élimée dans le bas, traînait sur des vieilles bottes déformées et racornies.

La neige tombait maintenant en abondance. C'était la première chute de l'année. Aldis savait que l'hiver serait long et dur. Elle se hâta vers une des masures basses dont le toit de tourbe descendait jusqu'au sol. Un fumet âcre enveloppait les lieux : un mélange d'odeurs de poisson, d'émanations de fumier, de relents de terre humide et de puanteur de détritus. Alentour traînaient des chiffons de bure moisis, des bouts de ficelle, de la corde à filets, des fermoirs de sangles en cuivre, même des contrepoids de métiers à tisser.

Aldis poussa avec vigueur les lourds battants et s'engouffra dans des lieux sombres et enfumés. L'odeur de fumier de mouton régnait partout. Sur un étal de bois massif, on avait entassé des ouïes de morue séchée. Tout près, les hommes avaient aligné plusieurs tonneaux d'huile de phoque. Sur le même étal, une grande écuelle de bois était pleine de lait caillé. Des chopes grossièrement taillées débordaient de lait de chèvre fraîchement tiré.

En apercevant la vieille magicienne, Bàrd l'Épée descendit du haut-siège, la place d'honneur qui dominait les bancs, et vint à sa rencontre. On disait de lui qu'il était plus dur que la pierre et plus sauvage qu'un animal. Il avait été prévenu que la vieille rôdait dans les parages. Elle avait été aperçue depuis quelque temps par tous les vagabonds de la région. Bàrd savait qu'il devait lui réserver bon accueil pour qu'elle

ne portât pas malheur. En la voyant s'ébrouer lourde-
ment sur le pas des battants, Bàrd imagina un ours
en haillons.

— Sois la bienvenue à Vigg, grommela le maître
de la maison.

— Je te remercie, grasseya la vieille. Ton accueil
prouve que les dieux m'ont bien guidée.

Aldis jeta un coup d'œil circulaire sur les lieux.
Les murs étaient nus. Sans doute les belles tapisse-
ries dormaient-elles dans les coffres en attendant le
prochain festin de Jol, qui ne tarderait pas d'ailleurs
puisque chaque jour se faisait de plus en plus avare
de lumière. Elle vit aussi que des armes de prix et de
nombreux boucliers, longs ou ronds, pendaient aux
poutres. Dans un coin, près du grand feu, un homme
maigre ciselait un petit coffre de bois. Ailleurs, des
femmes tissaient le vadmal en se servant des ballots
de laine des moutons que les hommes avaient pour-
chassés dans les montagnes pendant l'automne. Pour
tous ces gens, l'apparition soudaine de la magicienne
en même temps que la première neige était de mauvais augure. Il faudrait procéder aux sacrifices ri-
tuels, à l'immolation des bœufs, l'inciter aux vocatifs
magiques et lui confier les rêves prémonitoires.

Bàrd s'empressa de verser à la vieille une corne
pleine d'hydromel.

— Je te prie de prononcer les paroles sacrées sur
la corne, Aldis, fit-il en lui présentant l'objet.

Aldis examina la corne ciselée rehaussée d'or et
murmura des mots incompréhensibles avant de la
porter à ses lèvres gercées. Elle but l'hydromel d'une
seule gorgée.

— Une boisson digne de Thor, gloussa-t-elle.

Bàrd se détendit. Il fit remplir d'autres cornes et
ordonna qu'on les passe à l'assemblée.

— Il s'est bien écoulé dix hivers depuis que tu
nous as honorés de ta visite, Aldis, s'exclama Bàrd,

rendu joyeux par le compliment qu'avait fait la magicienne au sujet de la boisson. Je te trouve une bien bonne mine...

La vieille leva les bras et ricana :

— Tu rends hommage à ma taille d'elfe, Bàrd, n'est-ce pas? Ou crains-tu plutôt le troll qui sommeille en moi?

Elle retira la cape en peau d'ours qui lui recouvrait les épaules et la jeta négligemment aux pieds de Bàrd.

— Tu te surprends peut-être de ma visite, Bàrd, murmura la vieille. Sa voix avait perdu son timbre aigu. Sache qu'en venant jusqu'ici j'avais un dessein. Ce n'est certes pas pour me chauffer à bon feu. Malgré mes soixante-dix hivers, je n'ai pas encore le crâne qui bronche. Mes jambes et mes oreilles ne sont pas épuisées et je ne clopine pas pour m'asseoir près des brandons. Même si ses talons glacés ont besoin de flamme, la vieille hors d'âge que je suis se targue toujours de vivre sans défense d'un roi. Alors, dis-moi, Bàrd, est-il vrai que bientôt il se livrera bataille en expédition Viking?

Bàrd eut un geste évasif. Il but à grandes lampées et déposa bruyamment la corne sur la table de chêne.

— Thor me soit témoin, vieille femme, grogna le maître des lieux, qu'il est du destin d'un Viking de donner à dîner au corbeau ou à l'aigle. Ce n'est pas toi qui t'en étonneras! Et puis, ce que je redoute le plus, c'est de voir arriver la vieillesse à plus grands pas que la guerre!

La vieille Aldis secoua énergiquement la tête. Elle s'approcha de Bàrd à le toucher et le fixa de ses petits yeux porcins.

— Au nord d'ici, il y a deux tertres, souffla-t-elle. L'un est un gros tas de terre avec une pierre dressée dessus. L'autre, tout près, est bas et couvert d'herbe. Autour, il y a un cercle de pierres. Les aigles les survolent sans cesse. Les aigles affectionnent les tumulus hantés !

Bàrd passa nerveusement ses mains dans sa barbe hirsute.

— Mais le tertre de Gisli est là depuis plus de vingt hivers, rétorqua-t-il.

— Je le sais, glapit la magicienne. Mais voilà que j'ai eu des songes. J'ai vu en rêve Gisli monté sur un cheval gris qui m'invitait à me rendre à son tertre funéraire. J'ai vu tes femmes qui se promenaient avec d'inquiétants sacs en peau de chèvre. J'ai vu des sorcières chevaucher des humains ; des têtes séparées du corps qui parlaient en vers sinistres au creux des failles. J'ai vu des montagnes s'ouvrir d'elles-mêmes pour laisser entrer les Vikings de Vigg péris en mer. Tout cela présage de grands événements... Et toi, Bàrd, n'as-tu point eu de songes ?

— Oui, avoua le maître des lieux après un instant d'hésitation. Je dors encore très mal. L'automne s'est écoulé, mais les rêves n'ont pas diminué ; au contraire, ils s'intensifient à l'approche de Jol. Tu sauras certainement m'en dire la cause, Aldis ! N'es-tu pas la plus grande des magiciennes ?

— La mauvaise chance est quelque chose que l'on élève chez soi, la bonne chance devient mauvaise si elle n'est pas élevée à la maison, le sais-tu, Bàrd ?

— Je le sais, femme, reprit Bàrd, je le sais !... **An err ills gengis nema heiman hafi**...

— Raconte-moi tes songes, insista la magicienne.

Bàrd hésita. Il jeta des regards soupçonneux à droite et à gauche. Chacun s'empressa de vaquer à ses tâches, feignant d'ignorer les propos d'Aldis et du maître des lieux. Rassuré, Bàrd se confia à la vieille femme.

— Je rêve toujours de cette femme qui vient à moi. Elle est couverte d'un grand manteau gris. Elle attache sur ma tête un bonnet dégouttant de sang, après m'avoir lavé la tête dans le sang, et m'en avoir aspergé tout entier... Le rêve revient sans cesse, si bien que j'ai maintenant peur de l'obscurité. C'est ma honte ; moi, un Viking !

Aldis prit la tête de Bàrd l'Épée entre ses mains et la serra de toute la force de ses doigts griffus. Puis elle déclama une visa :

— Je voyais une femme
  Me lavant les cheveux
  Dans le sang rouge
  De mes blessures.
  Je voyais les mains
  De cette femme
  Rouge sombre
  Du sang de l'homme !

La vieille magicienne ne s'était pas trompée. Les présages de morts imminentes se manifestaient de partout jusqu'à venir la hanter dans la lointaine grotte. Aldis secoua la tête de Bàrd quelques instants encore puis elle murmura à son oreille :

— À présent, je vais changer tout ce que t'a dit ta femme de rêve et je vais faire en sorte qu'il n'arrive rien de ce qu'elle t'a dit. Ce ne seront pas les tromperies d'une femme qui seront cause de ta mort...

À ces mots, Bàrd tressaillit. Il fixa la vieille femme, qui maintenant lui souriait de sa bouche édentée. Le regard du maître des lieux se porta sur les armes qui pendaient aux poutres. Il se sentait déjà plus calme.

— Je te suis reconnaissant, femme ! Je sais à présent que je vais être tué par les armes. Tu sais bien, toi aussi, que la garde dorée et la poignée tressée d'argent prêtent à rire si elles ne vont pas de pair avec un métal d'une trempe irréprochable. Maintenant, je suis pressé de courir au terme de mon destin ; mais, s'il est de la volonté des Puissances, que dois-je savoir d'autre ?

Aldis n'hésita pas à lui répondre.

— Tu survivras au combat, mais tu devras quitter cette terre. Tu affronteras des montagnes de vagues hautes comme des parois de rochers. Tu trouveras une terre noire, mais tu auras perdu toutes tes richesses...

— Quelles richesses? l'interrompit Bàrd, incrédule. Je n'ai que cinq vaches, dix porcs et quinze moutons. J'ai déjà perdu trois esclaves. Il ne me reste que Bork; il boite et il n'a plus qu'un œil. Et je dois fournir de nouveaux impôts avant la fin de l'hiver: une peau d'ours, dix peaux de martre, dix seaux de plumes, deux cordages de soixante aunes chacun et plusieurs mesures en peaux de morse et de phoque. Bientôt nous devrons ajouter de l'écorce de pin à la farine d'orge si nous voulons que nos héritiers soient dignes d'être vikings!

— D'autres avant toi iront à Hel, continua la vieille magicienne sans se soucier du propos de Bàrd. Moi, je te dis que tu verras tes héritiers avant le grand blot de Jol (c'était le grand sacrifice païen qui célébrait le solstice d'hiver)...

— Que me dis-tu, femme! s'exclama le maître des lieux. Et par quel prodige cela serait-il?

— Ta femme est déjà entrée dans les douleurs, n'est-ce pas? s'enquit Aldis sans s'émouvoir outre mesure.

Bàrd ne dit mot mais secoua la tête pour signifier que sa femme Siegrid n'avait pas encore éprouvé les contractions précédant l'enfantement.

— Tu as bien dit... les héritiers! répéta lentement Bàrd.

— Il n'y aura ni mouillage, ni fortification, ni château, ni rempart qui sera à l'abri de leur renommée, ajouta la vieille femme. Oui, j'ai dit les héritiers! Elle appuya bien sur les dernières syllabes.

Bàrd prit un air renfrogné. Aldis l'ignora. Elle s'approcha de l'âtre, ferma les yeux et, d'une voix sourde, tint des propos énigmatiques:

— Le dieu Rig se promena sur terre. Il arriva à une salle, la porte donnait au soleil. Le maître du

logis tordait la corde, tendait l'arc, épointait des
flèches. La femme s'occupait des vêtements, lissait les
manches, tendait le drap... Rig leur donna bon conseil. Le dieu partagea la couche nuptiale. Il resta là
pendant trois nuits. Maintenant ont passé neuf lunes.
La mère mit au monde un fils, elle l'enveloppa dans
la soie. Ils le baignèrent et le nommèrent Bjorn.
Blonds étaient ses cheveux, claire sa joue, perçants
ses yeux comme ceux du serpent... des cheveux aussi
longs que ceux de Harald lorsqu'il eut juré de ne pas
se les faire couper tant qu'il n'aurait pas soumis toute
la Norvège.

La magicienne fit une pause.

... Le dieu Rig était parti ailleurs, poursuivit-elle.
Il arriva à une cabane. La porte était contre le mon-
tant. Il y avait du feu à l'intérieur. Un couple était
assis, un vieillard près du foyer, une vieille, coiffée
d'un vieux bonnet. La vieille apporta du pain grossier,
dur, plein de cosses. Il resta là pendant trois nuits.
Maintenant ont passé neuf lunes. La vieille mit au
monde un garçon noir. Ils le baignèrent et le nommèrent Ulf. Ses mains étaient ridées et rugueuses,
ses ongles noirs, les traits durs, les os noueux, le dos
voûté, les doigts épais, les talons énormes... Voilà
comment Rig exerça son droit de dieu !

Bàrd écouta attentivement les paroles mysté-
rieuses de la vieille Aldis.

— Quelle est cette énigme, femme ?

— Tout ce qui pousse et prospère dans les fermes
est précieux, répondit la magicienne. Le bétail et les
céréales, les esclaves, les fils et les filles. Cette nuit
tu sauras que ceux qui naîtront dans une fourrure de
poil de chèvre auront un autre destin que de forger
des socs de charrue et de domestiquer des bœufs.
Cette nuit tu sauras !

La vieille femme ne prononça plus une autre parole. Elle resta près du feu, tassée, ignorant l'entou-

rage. Elle ressemblait plus à un tas de hardes qu'à un être humain. Le soir même un messager vint porter à Bàrd la flèche de guerre : un bâton taillé en forme de flèche que l'on faisait circuler de ferme en ferme ; une coutume par laquelle on convoquait les hommes à la guerre. Bàrd fit venir Finn le Forgeron. Les deux hommes allèrent à la forge et en refermèrent les portes derrière eux. Ensemble ils tirèrent une lame du brasier. Ils firent des incrustations sur la poignée, sur la longueur d'une empaumure. Ces incrustations étaient des runes, auxquelles étaient attribués des pouvoirs magiques.

Cette nuit-là, Siegrid, la femme de Bàrd l'Épée, accoucha de jumeaux, des garçons. L'un était tout frais, rose, un duvet blond sur le crâne, l'autre avait une peau plus sombre et une tignasse toute noire, ébouriffée. Le premier pleurait à peine, le second hurlait à pleins poumons.

La vieille Aldis n'avait pas assisté à la naissance. Ne trouvant pas le sommeil, tant elle se sentait mal à l'aise, elle sortit. Au-dehors, le temps était froid, mais calme et serein. La voilà qui s'était mise à tourner plusieurs fois autour de la masure de Bàrd dans le sens contraire du soleil, à renifler à toutes les aires du vent et à dresser les narines.

— Gémissent les marais de la lande, clamait-elle. Les rocs se mettent à tomber. Vacarme quand passe le bruit violent de l'escarpement sombre... Elle leva les bras au ciel, suppliants... À grands pas, parcourt le vacarme des monts !

Elle recommença plusieurs fois, accentuant le pas, haussant le ton. Et voilà que le temps se mit à changer. Un filet d'eau, d'abord, qui puisait sa force dans la raideur de la pente, avant de s'élancer en torrent, arrachant les blocs de rochers et d'immenses plaques de neige. Des trombes d'eau qui s'abattaient en même temps que se levait une tempête de neige.

Un énorme bouillonnement qui déversait son flot sur le lieu de Vigg. Au matin, seules quelques masures avaient été épargnées.

Pour Bàrd et tous les survivants de Vigg, c'était l'avertissement des dieux. C'était aussi la manifestation non équivoque de la puissance de la magie d'Aldis.

Mais Bàrd l'Épée devait se préparer à la guerre. Au temps du dagmal, comme le soleil donnait faiblement sur la crête, il apparut avec son bonnet de peau d'ours sur la tête, son épée à la main. Il appelait cette épée Fotbitr, c'est-à-dire Mord-Jambe ; une grande arme, à la garde en dents de morse, avec une lame acérée à deux tranchants. Il n'y aurait jamais de rouille dessus et elle ne rougirait qu'au sang de l'ennemi. À la ceinture pendait la hache snaghyrndr. Son manche, enveloppé d'un treillis de fer, était encore plein de suie parce qu'elle avait été suspendue à la place d'honneur, auprès de l'âtre. C'était une arme redoutable dotée d'un fer très large et terminée par deux pointes en forme de cornes. Il l'appelait la mauvaise cornue.

Alors Bàrd, entouré de tous ses hommes en armes, ordonna que l'on amenât les nouveau-nés. Les femmes déposèrent à ses pieds les deux petits corps grouillants. L'un, au duvet blond, était enveloppé dans une épaisse pièce de vadmal ; l'autre, à la tignasse noire et drue, reposait sur une peau en poil de chèvre. Bàrd les examina longuement. Puis il prit dans ses bras l'enfant blond et l'éleva vers le ciel, en offrande aux divinités du destin. Tout près, derrière les hommes de Vigg, la vieille Aldis suivait les moindres gestes de Bàrd. Ce dernier demanda de l'eau. Il en aspergea abondamment l'enfant, le consacrant ainsi aux grands éléments. Il le déposa de nouveau au sol, à même la neige.

— Maintenant tu es reçu par la terre mère, dit-il.

Sur ces mots, Bàrd posa à côté de l'enfant son épée nue.

— Je ne te laisse aucun héritage, ajouta-t-il, et cela seulement que tu gagneras par l'épée sera tien...
Tu es Bjorn, fils de Bàrd !

Bàrd regarda ses compagnons d'armes. Il vit Aldis
qui le fixait. Il sut qu'elle devinait déjà le sort qu'il
réservait à l'autre enfant, car celui-là il ne voulait pas
le reconnaître. Selon la coutume, il ordonnerait que
l'enfant soit exposé aux éléments et livré aux bêtes.
Aldis, enveloppée dans sa vieille peau d'ours, s'avança.
Elle fit face à Bàrd.

— Je sais que se dresse un frêne, qui s'appelle
Yggdrasil, murmura-t-elle. L'arbre élevé, aspergé de
blancs remous. De là vient la rosée ; éternellement il
se dresse. Au pied d'Yggdrasil jaillissent plusieurs
sources. Des hommes s'agitent dans ses branches, des
serpents se tapissent dans ses racines, les dieux s'as-
semblent sous ses ombrages. Le destin de chacun s'y
accomplit.

Elle s'accroupit et étendit ses mains sur l'enfant
que Bàrd avait reconnu et nommé Bjorn.

— À cet arbre dont nul ne sait d'où proviennent
les racines, je scrutais en dessous, je ramassais les
runes. Hurlant les ramassai ! Toi, Bjorn, tu auras le
don de la parole et les faveurs d'Odin. Le monde que
nous connaissons changera. Les rois aussi. Tu seras
la mémoire des rois, du Norse, du temps... Tu por-
teras l'écu, sculpteras les arcs, nageras dans l'eau,
expliqueras les runes, comprendras le langage des oiseaux et verras des terres lointaines...

Elle se redressa péniblement et dit à Bàrd :

— Puisque celui-là est déjà mort, confie-le-moi.
Ce sera le prix de ta vie...

Bàrd ne répondit pas mais approuva d'un cligne-
ment d'yeux. Alors Aldis ramassa l'autre enfant et
l'emmaillota dans la peau de chèvre.

— Tu fumeras des champs, donneras à manger
aux porcs, garderas les chèvres, extrairas la tourbe.

Tes mains deviendront dures comme pierre. On t'appellera loup partout où le monde est habité et on tentera de te chasser et de t'expulser de partout. Mais tu posséderas des secrets comme nul autre...

Serrant l'enfant contre elle, Aldis ajouta :

— Hurlaient les guerriers-fauves
  Bataille dans le cœur.
  Hurlaient les peaux-de-loups
  Et le fer rougissait...

La vieille magicienne ne se retourna point. Elle quitta le bourg à demi enseveli de Vigg, s'éloignant à pas lents, sa progression rendue pénible par la neige épaisse. Devant elle il n'y avait que brume, glaces et tourmentes.

— Toi, tu es Ulf, souffla-t-elle. Ulf, fils de Fenrir, le loup géant, capable d'engloutir les dieux. Tu es de cette race terrible qui fera trembler Yggdrasil...

Le piquet d'infamie

Il fallut sept nuits à Bàrd et à sa quinzaine d'hommes pour se rendre à la ferme du chef de clan, Gunnar Magnusson.

C'est dans la maison longue du jarl Gunnar que se tint le conseil de guerre. L'édifice avait un grand toit dont les versants reposaient directement sur les murs. Il était couvert de plaques de tourbes maintenues en place par des pierres plates. Les murs, élevés sur un soubassement de grosses pierres, étaient légèrement incurvés, rappelant quelque peu un drakkar retourné. Deux rangées de piliers supportaient la toiture. D'épaisses planches, enfoncées verticalement dans le sol, étaient soutenues par des traverses à la base du mur et à la hauteur du toit. Les interstices étaient comblés par un torchis de terre et de paille.

Tous les chefs de famille, les bondis, s'étaient rassemblés dans la grande pièce. L'air y était poussiéreux. Seul un orifice grossièrement ménagé dans la toiture permettait une lente évacuation de la fumée. Le rougeoiement d'une flamme constamment avivée dans un foyer bordé d'une rangée de pierres jetait une lumière vacillante dans l'enceinte surchauffée. Les lieux étaient grouillants de guerriers, de concubines, d'enfants, de serviteurs et d'esclaves. Tous ces hommes étaient d'un lignage unique, se réclamant depuis plus de quatre générations du même ancêtre : Ottar le Chasseur. Il y avait là, réunis autour du jarl Gunnar, outre Bàrd l'Épée, Sigurd la Truie, aux allures de cul-terreux, Harek Pied-d'Arbre, dont la jambe amputée avait été remplacée par un pilon de bois, Thorfinn aux Crânes, réputé pour ses prouesses avec la hache de combat, Thrain le Paon, qui affectionnait le linge fin, et Helgi le Maigre, aux traits osseux et aux membres si démesurés que ses hommes lui trouvaient une ressemblance avec un dragon.

Les hommes, serrés les uns contre les autres, occupaient les banquettes de terre bordées de planches, alignées en remblais le long des murs. Une forte odeur de viande régnait dans l'espace clos. Les serviteurs s'affairaient à faire bouillir des quartiers de mouton dans des chaudrons de fer. D'autres servaient de bonnes rasades de bière d'orge. Plusieurs hommes présentaient un rôti à la flamme le long d'une fourche.

Lorsque tous furent rassasiés, Gunnar prit place sur le haut-siège. C'était une pièce d'artisan remarquable, véritable trône de bois flanqué de deux piliers ornés de nombreuses sculptures aux motifs floraux avec, au centre, une représentation en relief du dieu Freyr.

Le jarl Gunnar avait une stature imposante ainsi qu'un visage large aux traits marqués ; un nez droit, des lèvres épaisses sans avoir la bouche laide, les yeux grands et bien disposés, une chevelure claire cascadant en boucles sur ses épaules.

— L'été dernier, commença Gunnar, a été organisé un combat de chevaux dans lequel on devait lâcher tous les étalons qui se trouvaient dans la région. Nous devions opposer les nôtres à ceux du clan Bjarni. Il y avait là une grande quantité d'étalons ; on s'amusa beaucoup et les combats furent à peu près égaux. Beaucoup de combats de chevaux eurent lieu ce jour-là. Il arriva, pour finir, qu'un égal nombre d'étalons avait mordu dans tous les sens, et qu'un égal nombre s'était enfui. Bjarni et moi nous entendîmes pour décréter les combats à égalité de part et d'autre. Mais durant la nuit, Bjarni et ses hommes enlevèrent deux Freyfaxi, les étalons que j'avais consacrés à Freyr, le dieu de la fécondité et de notre clan. Non seulement ont-ils enlevé les étalons sacrés, mais ils les ont abattus et mangés...

Cris et vociférations fusèrent aussitôt. Gunnar, d'un signe de la main, réclama le silence.

— Je sais que la fête de Jol approche et qu'elle est consacrée au repos, poursuivit-il. Quelle période est mieux indiquée que celle où le soleil lui-même se repose! Mais ce repos est-il possible devant un tel affront fait à notre clan? Pouvons-nous boire «til aar og fred» – pour la bonne récolte et pour la paix – avant qu'une telle offense ne soit lavée?

Les cris reprirent de plus belle. Les hommes portèrent haut les épées et les haches de combat en réclamant la vengeance dans le sang.

— Et le Thing? demanda soudain Thrain le Paon.

— L'assemblée du Thing a jugé l'affaire délicate, expliqua le jarl. Bjarni a le respect de plusieurs chefs et il s'est soumis à l'ordalie. Il a saisi sans broncher la poignée de cailloux portés au rouge...

— As-tu été témoin, Gunnar? ironisa Sigurd la Truie.

— J'en témoigne, répondit simplement le jarl. Lorsque les juges ont examiné les plaies, quatre jours après celui d'Odin, les brûlures étaient propres. Ils ont déclaré Bjarni innocent. Il n'eut même pas à acquitter la valeur des étalons en pièces d'argent. Aussi n'est-ce pas seulement notre clan qui fut offensé mais surtout Freyr, notre dieu! Pour cela, je vous demande de décider du châtiment!

34 DRAKKAR

Les bondis discutèrent ferme. Il y eut des éclats de voix, des empoignades même. L'un demandait le duel, un autre estimait équitable d'incendier la ferme de Bjarni, un troisième voulait exterminer ses esclaves. Enfin, le soir venu, tous s'entendirent sur une expédition punitive et sur la mort de Bjarni, des membres de sa famille et de son bétail.

— Le Thing sera impitoyable pour nous tous, conclut Gunnar Magnusson. Il nous condamnera sans aucun doute au bannissement. Aussi, je le crains, devrons-nous dire adieu à cette terre !

— Le bannissement plutôt que de mourir de vieillesse dans mon lit, gloussa joyeusement Bàrd l'Épée.

Le bondi de Vigg pensa à Bjorn, son nouveau-né. Les paroles d'Aldis la magicienne lui revinrent à la mémoire. Une terre noire, la perte de ses richesses...

Sans attendre, les hommes chargèrent les traîneaux. Casques coniques à nasal de fer et cottes de mailles s'entassèrent sur les boucliers en bois de tilleul. Ils étaient rouges, la couleur de la guerre déclarée. Puis ils préparèrent les armes : l'épée à deux tranchants, la hache de guerre à long manche et l'arc en bois d'if.

Gunnar circulait parmi les chefs en répétant sans cesse :

— Mikil verda hermdarverk – grandes sont les actions de la haine – !

Il s'arrêta devant Bàrd et prit un air solennel.

— Toi, Bàrd l'Épée, commença-t-il, tu es mon plus fidèle compagnon, sur mer comme sur terre. L'honneur d'envoyer un messager à Bjarni sera tien.

Bàrd fit signe à un de ses guerriers, un géant qui répondait au nom de Oleg. Il dépassait ses compagnons de la hauteur de sa tignasse rousse. Il se planta devant Gunnar.

— Voici ce que tu diras aux hommes de Bjarni, lui annonça le jarl. Que Bjarni connaîtra son destin avant le temps de Jol. Que Hel en personne viendra choisir sur le lieu du combat les habitants de son royaume. Que celui qui versera tant de sang que le corbeau s'y baignera en y laissant son sillage est un noble homme de Norvège qu'il connaît, car il se nomme Gunnar, fils de Magnus, un grand Viking qui ne fait pas jeter les enfants sur la pointe des lances. Que l'offense faite au dieu Freyr et à Gunnar ne sera plus l'affaire du Thing, car seul maintenant un festin des aigles pourra compenser la mort des étalons Freyfaxi! Et tu planteras devant eux ce bâton de reconnaissance qui porte mon signe!

Il tendit à Oleg un bâton noueux marqué de runes. Le géant salua Bàrd et partit sur-le-champ. Gunnar prit Bàrd par les épaules et l'invita à boire, lui disant avec un sourire énigmatique :

— Serait-ce pour nous que le scalde a clamé un jour : «Dépérit le jeune pin qui se dresse en un lieu sans abri : ne l'abritent ni écorce ni aiguilles; ainsi l'homme que n'aime personne, pourquoi vivrait-il longtemps?»

▼

Oleg revint au bout de quatre nuits. Il était à bout de forces lorsqu'il se présenta devant Gunnar et les bondis. Des glaçons s'étaient formés dans sa barbe rouquine et son manteau de fourrure était détrempé.

Oleg raconta que lorsque Bjarni eut entendu les paroles de Gunnar, il s'empara d'un pieu de noisetier, monta sur un promontoire orienté vers le lieu du jarl, fit abattre un cheval et empala sa tête sur le piquet. Il parla ainsi : «J'érige ici un piquet d'infamie et je le tourne contre le jarl Gunnar et tous ses compagnons. Je tourne cette malédiction contre les esprits tutélaires qui habitent le lieu de Gunnar, afin qu'ils s'égarent tous.» Il ajouta que Bjarni enfonça ensuite le piquet dans la neige et y grava des runes.

— Bjarni m'a-t-il destiné un autre message? demanda Gunnar.

— Oui, répondit Oleg. Le voici : «Je te fis courber, Gunnar, comme un porc, devant l'assemblée du Thing. Maintenant, tu as l'imprudence de te comparer à nous ou peut-être même de me provoquer en duel! Qu'il en soit donc ainsi. Nous nous rencontrerons dans un délai de sept nuits dans l'enclos près de ma ferme, à Borgund. Nos hommes cesseront de guerroyer, à leur gré, et la chance ira à ceux auxquels elle aura été échue! Mais quant à nous, il n'y aura à épargner ni l'un ni l'autre. Et s'il en est qui ne viennent pas, on leur érigera un bâton d'infamie avec cette formule : qu'il soit infâme pour tous et ne se trouve en aucun cas dans la compagnie d'honnêtes gens, qu'il encoure la colère des dieux et qu'il porte à jamais le nom de violateur.» C'est là le message que te fait parvenir Bjarni.

— Es-tu prêt, Gunnar, pour un duel? demanda Bàrd.

— Nous partons maintenant, annonça le jarl sans répondre à la question du bondi de Vigg.

On frappa aux battants de l'entrée. Un serviteur se présenta, secoua sa capote enneigée et fit part aux hommes qu'il y avait eu une si énorme chute de neige accompagnée de gel que nul être vivant ne pouvait se frayer un chemin jusqu'à Borgund.

— Oleg, demanda le jarl, semble-t-il possible d'y aller, car il fait bien mauvais temps?

— Certes, il me semble, répondit le géant roux qui grelottait encore de tous ses membres. Surtout que tu as les meilleurs chevaux de la région...

— Nous mettrons donc notre foi en nos chevaux, décida Gunnar. Que l'on attelle les Freyfaxi et que l'on couvre les traîneaux avec des peaux. Nous nous partagerons les traîneaux à tour de rôle et les autres marcheront devant pour reconnaître le chemin.

Sur ces mots, le jarl fit signe à Bàrd de le suivre. Les deux hommes allèrent à la bergerie pour y prendre un pieu qu'ils portèrent ensuite près de l'enclos. Gunnar sculpta une tête d'homme sur le bout du pieu et grava dessus des runes. Puis il fit tuer une jument, l'ouvrit à la hauteur du poitrail et l'empala sur le pieu en la tournant en direction de Borgund. «Si tu crois, Bjarni, que personne ne peut circuler par un temps pareil, grommela-t-il, c'est que tu penses que Gunnar n'est pas l'homme que tu crois. Nul dans ce clan ne supportera honte sur honte!»

Se dressant comme pour dominer la tempête, il clama d'une voix forte :

— J'érige ici un piquet d'infamie et le tourne contre Bjarni le voleur. Que les esprits tutélaires de ces lieux et la volonté de Freyr accompagnent cette vengeance et donnent à Bjarni et à sa descendance une coiffe de sang!

L'expédition se mit en route. Les hommes, emmitouflés dans d'épaisses fourrures, courbaient l'échine sous la tourmente. Les chevaux soufflaient bruyamment lorsqu'ils s'enfonçaient dans la neige jusqu'au poitrail et se dégageaient ensuite avec de brusques et puissantes ruades. Pendant ce temps, les hommes s'arc-boutaient et peinaient pour empêcher les traîneaux de se renverser et de répandre leur précieux chargement. Hommes et bêtes avançaient péniblement sous un froid mordant qui raidissait peu à peu les membres.

Le lendemain, c'était la même tempête, sinon pire. Cela dura ainsi trois jours et trois nuits. Les hommes de Gunnar crevèrent deux chevaux. La dernière nuit ils s'abritèrent sous les carcasses.

À l'aube du quatrième jour, le groupe arriva, exténué, sur les hauteurs de Borgund. Plus bas, enfouie sous un linceul blanc, ils distinguèrent les contours de la ferme de Bjarni. Ce dernier avait déjà délimité l'aire de combat avec des branches de noisetier. Gunnar et ses hommes virent des ombres mouvantes. Des silhouettes massives s'avançaient entre les bâtiments, laissant derrière eux un sillon profond, tout frais. Bjarni et une trentaine d'hommes armés s'approchèrent de l'enclos et se disposèrent en demi-cercle.

— Pas de temps pour faire des feux et dégeler nos habits et nos corps, remarqua Gunnar en voyant les préparatifs de combat de ses adversaires. Nous risquerions de décevoir les corbeaux d'Odin. Le jugement des lances aura lieu sitôt que nous aurons rallié l'enclos de cet arrogant! Nous n'aurons pas d'autre chance de nous faire valoir...

En bas, les hommes de Bjarni brandissaient leurs armes et raillaient leurs adversaires qui se frayaient péniblement un chemin, trébuchant parfois les uns sur les autres, dans la neige duveteuse mais profonde.

— Le corbeau aura de la viande crue à lacérer, hurlait l'un d'eux.

— Gunnar, cria Bjarni, cela ne fera pas de mal au cheval si tu le montes, puisque tu sembles si mal en point!

Gunnar serra les dents et ses doigts se crispèrent autour du manche de sa hache de combat.

— C'est moi qui déciderai, gronda-t-il. Tu ne chevaucheras pas davantage Freyfaxi; ni pour cette fois, ni jamais plus!

Comme les hommes de Gunnar approchaient de l'enclos, ils passèrent près de la bergerie. Un homme se tenait près des portes basses, appuyé sur son bâton. Il était légèrement voûté et tendait le cou. Thorfinn aux Crânes l'interpella.

— Ho! Es-tu un homme de Bjarni?

— Je suis Sküf, le berger, répondit l'homme d'un ton aigre.

Thorfinn prit sa hache et assena un coup sur la tête de Sküf, lui fendant le crâne jusqu'aux épaules.

— Bjarni, hurla Thorfinn, cet homme n'a pas eu de chance. Voilà déjà de la viande pour le corbeau...

Avec un ahan féroce, il extirpa le fer profondément enfoncé dans le corps affalé du berger et se rua à l'attaque. Bouclier contre bouclier, les guerriers formèrent un cercle protecteur autour de Gunnar, pendant que la hache de Thorfinn semait la mort dans les rangs de Bjarni. Les sinistres tournoiements de l'arme éclaboussaient la neige de larges fleurs de sang. Morts et blessés jonchèrent rapidement les lieux empourprés. Les hommes de Gunnar se battirent avec une telle rage qu'ils eurent tôt fait de décimer le clan de Bjarni. Seuls quelques hommes valides, parmi les meilleurs combattants, résistaient encore aux assauts de la petite troupe de Gunnar. Ce dernier ordonna alors aux siens de surseoir au massacre.

— Bjarni, lança-t-il, le mieux serait maintenant que nous nous attaquions, car tel fut ton défi; et je serais curieux d'éprouver contre toi qui je suis : les autres ne se mêleront pas de notre joute !

— Il me plaît qu'il en soit ainsi, haleta Bjarni, déjà ensanglanté par plusieurs blessures.

Gunnar laissa tomber son grand manteau de fourrure et retira sa cotte de mailles. Il ne garda pour tout vêtement qu'une chemise de bure et des braies de gros vadmal. Il serra fortement ses bandes molletières et se noua la corde d'écorce de tilleul que lui tendit Bàrd autour des reins. Il assura le manche de sa hache au creux de la main et s'avança droit sur Bjarni.

— La compensation pour un esclave vivant est de douze onces d'argent, ironisa Bjarni une fois Gunnar parvenu à sa portée. Un cent d'argent est tenu pour une somme suffisante en compensation du meurtre de Sküf... mais je me contenterai de trois cents aunes de vadmal ou de quatre vaches !

— Il n'y aura pas de prix pour les étalons sacrés, rétorqua Gunnar. Mais certainement que trois cents d'argent sera tenu pour une somme princière en compensation de ton meurtre !

Ils s'attaquèrent avec férocité et se battirent hache contre épée. Ils étaient habiles au maniement des armes l'un et l'autre, mais ce fut la hache de Gunnar qui prévalut. Frappant à coups redoublés, Gunnar déchiqueta le bouclier de Bjarni avant d'assener à ce dernier le coup fatal. La force fut telle qu'elle ouvrit la cage thoracique de Bjarni et lui mit les poumons à nu. Pendant quelques instants, les deux lobes battirent comme des ailes dans l'ultime halètement de la victime. Le jarl contempla la dépouille de son adversaire et murmura : « Voici que l'aigle de sang est sculpté à la gloire de Freyr. » Puis il se tourna vers les survivants du clan de Bjarni et leur dit :

— Prenez soin de votre maître et de ses compagnons pour que les bêtes ou les oiseaux ne lacèrent pas leurs charognes.

Sigurd la Truie s'approcha du corps sanglant de Bjarni et l'examina avec minutie.

— On dit que le cœur des hommes courageux est plus petit que celui des couards, fit-il de sa voix grinçante. On dit qu'il y a moins de sang dans un petit cœur que dans un grand et que la peur accompagne le sang du cœur. Que dirais-tu, Gunnar, si nous montrions le cœur de Bjarni à ces juments ? Il désigna de l'épée les quelques survivants qui avaient peine à se tenir debout.

— Non, Sigurd, répondit Gunnar avec fermeté. Bjarni aurait mérité d'être précipité au bas d'une falaise avec une peau de veau sur la tête pour avoir exécuté les chevaux Freyfaxi ! Le destin lui est venu par mon bras ; mais ici s'arrête notre vengeance !

Sigurd prit un air sournois. Un mauvais rictus déforma sa bouche aux dents gâtées :

— Toi, Gunnar, tu as sûrement un cœur qui n'est pas plus gros qu'une noix, dur comme un cal et dépourvu de sang !

Gunnar ignora le propos de Sigurd. Il ordonna aux hommes de mettre le feu à la ferme et d'occire le bétail.

— Et les esclaves ? demanda-t-on.

— Qu'on les pende ! répondit Gunnar.

Lorsqu'ils prirent le chemin du retour, ils laissèrent derrière eux des ruines fumantes et quelques cadavres carbonisés.

— La loi est sacrée, Gunnar, lui dit Thrain le Paon lors d'une halte nocturne. Même si celui-ci est dans son droit en faisant pendre des esclaves et en mettant le feu à une ferme, il sera pourtant puni parce qu'il ne les a pas pendus à la période fixée par le Thing et à l'endroit convenu !

— Le dieu Tyr n'a-t-il pas la main droite pour passer un pacte inviolable avec les puissances du désordre ? rétorqua Gunnar.

— C'est ce qu'on dit, renchérit Thrain.

— Alors que Freyr décide de notre sort, car je lui ai tendu un présent à la pointe de mon épée !

▼

Le froid et la neige avaient fait leur apparition définitive et écrasaient tout le pays sous la glace. Il semblait que le soleil se fut arrêté et qu'il hésitait à reprendre sa course. C'était la période des longues nuits. Seule une lueur pâle montait à l'horizon ; passage fugace d'une clarté de jour.

Le jarl Gunnar trônait, drapé dans ses manteaux de martre sur lesquels flottait une cape de coupe élégante. La fête de Jol battait son plein. À cette occasion, Gunnar avait fait venir le plus gros sanglier qu'il avait pu trouver, en l'honneur de Freyr, le dieu de la fécondité, dont on disait que le sanglier Gullinborsti portait des soies d'or si brillantes qu'elles illuminaient la nuit autour de lui. Gunnar, au milieu des siens, la main posée sur les soies de son sanglier, avait fait un vœu.

Une animation intense régnait dans la grande salle illuminée par des torches de résine. De jeunes garçons revêtus d'une peau d'animal et portant des cornes de bouc mimaient le rite des boucs de Thor. Ils se battaient, les torses nus, luisants, trempés de sueur.

Partout, l'hydromel coulait à flots. Les grands abattages d'automne offraient aujourd'hui de la viande fraîche et les serviteurs entretenaient plusieurs feux en même temps qu'ils rôtissaient des quartiers de porc et de cheval.

Sur les grandes tables recouvertes de nappes en lin, ils disposèrent des pains de froment, des chopes de lait, du lait caillé, du lait au fromage ainsi que des plats à décor d'argent, remplis de lard brun et d'oiseaux rôtis.

Les hommes en profitaient pour évoquer leurs exploits et déclamer les meilleurs poèmes. Ils parlèrent d'épées, de tempêtes, de revenants, de magie, d'affronts et de vengeances de clan. Un père regrettait la mort de ses fils, réclamés prématurément par Ran, le dieu des mers. Un autre vantait les siens qui se promenaient en équilibre et au pas de course sur les rames hors de la lisse du drakkar. Les incidents les plus ridicules prenaient valeur d'offenses. Certains, parmi les plus rageurs, en vinrent aux prises : debout, leurs poignards tirés mais cachés sous le manteau. Le visage en feu, ils se tenaient poitrine contre poitrine, le défi au bord des lèvres. Gunnar, impassible, restait assis sur le haut-siège, jouant négligemment avec le manche de sa hache de combat. Chacun sentait l'offense, mais nul ne voulait violer les droits d'hospitalité du jarl. En grommelant, les belligérants se retiraient dans les coins les plus sombres, se couchaient sur la paille fraîchement étalée et s'endormaient aussitôt.

Les festivités durèrent plusieurs nuits, jusqu'à épuisement des uns et des autres. Ce fut Bàrd l'Épée qui s'empressa de complimenter son hôte en lui disant que les repas avaient été très bons et que le jarl leur avait servi la plus excellente des bières. Puis il changea de ton :

— J'ai observé qu'une douleur cuisante faisait baisser les yeux du courageux fils de Magnus. Une peine terrible, sûrement...

Gunnar haussa les épaules. Ses yeux cernés par les excès du festin et le manque de sommeil avaient perdu tout leur éclat.

— Je ne pourrai jamais me plaindre, soupira-t-il. Mais au Thing du printemps, nous serons déclarés coupables d'avoir défié la décision du Gulathing. Toute réconciliation avec le clan de Bjarni est impossible et le versement d'un **wergild** – prix du sang – pour chaque homme tué ne nous laissera même plus de paille pour dormir. Ce sera le bannissement... C'est inévitable !

— Moi, Bàrd, fils d'Egil, ne crains pas d'affronter les mers, répondit le bondi de Vigg avec un accent de défi dans la voix. Les dieux ont déjà frappé mon lieu et je ne tiens pas à voir mon fils sans recours ni abri ! Bjorn aura droit à un navire, en digne fils de Viking, et il pourra aller, avec de solides rameurs, chercher du butin. Pourquoi ne mériterait-il pas de se tenir debout sur l'étrave et de piloter sa carène, égal aux héros ?

Gunnar fit comme s'il n'avait pas entendu Bàrd.

— Savais-tu, Bàrd, que jadis Herlaug se fit enterrer vivant dans un tumulus plutôt que de se soumettre à Harald Halfdanson ? Je préfère moi aussi quitter ce lieu, plutôt que de voir un seul homme qui

se dit roi percevoir des impôts qu'il ne garde que
pour lui! Par surcroît, un roi qui refuse d'offrir la
coupe à Thor et de manger du cheval... peut-être est-
ce un futur roi que tu élèves, Bàrd!

— Si telle est ton opinion, Gunnar, je te donne
l'enfant, fit Bàrd.

Le jarl sourit et lui mit la main sur l'épaule.

— Il nous faut des navires, poursuivit Gunnar. Il
faudra fabriquer beaucoup de mâts avec les plus
hauts arbres, tailler des gouvernails, des rames, tisser des voiles, câbler des cordages, forger des armes,
fabriquer du petit outillage... il faudra tuer beaucoup
d'animaux à fourrure! Nous irons sur les grands
marchés de Hedeby et de Birka. Nous y ferons com-
merce... On dit qu'on obtient un fort esclave pour un
cheval sellé!

— Où irons-nous ensuite? demanda Bàrd.

Nous irons là où va le soleil... Si le soleil peut y
aller, nous le pouvons!

— Nous allons vers les hommes de l'Ouest?

— Si telle est la volonté des dieux, nous devien-
drons aussi des hommes de l'Ouest, répondit Gunnar.

Bàrd resta pensif. Puis, d'une voix à peine audible :

— Des hommes de l'Ouest! répéta-t-il. On raconte
qu'un de ces hommes faisait douze aunes et qu'il était
capable de sauter tout armé sa propre hauteur, en
avant et en arrière. On dit aussi qu'il y a dans ces
lieux, à l'Ouest, plus de revenants et de démons que
d'hommes; et que ces hommes enterrent du requin
sous le fumier et le mangent ensuite!

— Peut-être, Bàrd, peut-être! Mais on dit également que les jeunes filles sont des vierges claires et
qu'elles ont le corps comme celui des elfes!

La terre d'Islande

Bàrd avait peine à envisager l'effrayant périple vers l'ouest. Il avait le sentiment d'entrer vivant dans le royaume de la mort. Là-bas, c'était un lieu où nul n'entendait la course des ours velus qui, tels des fantômes, semblaient glisser plutôt que marcher sur la surface blanche et glaciale. Point d'oiseaux, pensait-il, point même de mouettes qui accompagnaient les longues traversées. Mais Bàrd avait surtout grande peine à quitter les pentes des montagnes et les dunes blafardes sur lesquelles bouleaux, pins et sapins couvraient d'immenses espaces. Son père lui avait appris à aimer leurs longs et maigres fûts qui s'élevaient avec mélancolie dans le ciel tourmenté de la Norvège. Il aimait cette nature engourdie où seule la chute d'une branche, seules les cimes de pins et de bouleaux se heurtant, rythmaient le silence absolu. Il aimait le souffle du vent qui courbait ces bouleaux et ces pins, comme il aimait le voisinage des fjords, des lacs et tourbières, des pâturages et des bosquets de pins et d'érables. Il aimait les hauts sapins encore frais de résine odorante...

Bàrd avait entendu dire qu'à l'ouest les trolls et les revenants des Vikings engloutis dans des naufrages possédaient le peu de terre qui résistait à la sorcellerie des aurores et des crépuscules et que la lumière de la lune était plus fréquente que celle du soleil. On disait aussi que la neige se contentait de disparaître quelque temps entre les hivers, et que des buissons chétifs, des brindilles étriquées, des mousses sans épaisseur cherchaient à ne pas mourir plutôt qu'à vivre entre deux rochers.

Comment alors ne pas s'effrayer devant la colère insensée des glaces? Comment le soc de la charrue pourra-t-il fendre la pierre? Comment le paysan pourra-t-il cultiver le seigle et l'orge, nourrir les vaches, les porcs, les chèvres et les moutons? Comment ne pas craindre une île flottante où rien d'autre ne pousse que des pierres funéraires?

Mais Bàrd était lié à Gunnar, le jarl de Urnes, par le serment de la fraternité. Il pressa donc sa communauté aux préparatifs du grand départ. Les femmes s'activèrent sur le métier à tisser. Elles nettoyèrent, dégraissèrent et cardèrent toute la laine des tontes; elles la filèrent à la quenouille et au fuseau avant de la tordre et de la teindre avec diverses sortes de lichens. Les hommes fourbirent les instruments de bois : fourches, râteaux, pioches et houes, tout en sculptant et gravant l'os des peignes, des manches de haches, d'épées et de couteaux. Puis vint la chasse. Ils sillonnèrent les futaies et les bois, pénétrèrent au plus profond des verts chaînons, frissonnants encore sous la cape de neige. Ils abattirent loups et gloutons, martres, perdrix des neiges, coqs de bruyère, lièvres, renards, cerfs, chevreuils et gélinottes. Ils en tirèrent une abondance de fourrures et de venaison qu'ils mirent en terre.

Chaque matin, sous un ciel brumeux et pendant que tombaient encore dru les flocons de neige, Bàrd, aux aguets, cherchant à deviner la provenance du moindre bruit, surveillait son bétail. Les quelques

bêtes survivaient à peine. Pour Bàrd, c'était une lutte
sans trêve ni merci ; la seule lutte de son existence :
toujours se méfier des autres et de lui-même. Sur
cette terre, où il avait été établi, l'homme, fils d'Odin,
devait lutter avec un autre fils d'Odin, le terrible
Loki, père du loup, du serpent, de la sorcière et de la
mort ; lutter contre le mal, le mensonge, l'hypocrisie,
la haine et le trépas obscur.

Bàrd savait, comme son père et comme ses ancêtres, que lorsqu'un bruit insolite rompait le silence
de la nuit, lorsqu'une tempête s'élevait et s'enflait
avec rage, c'était Odin qui passait sa fureur sur les
hommes. Et pendant les longues soirées d'automne,
quand, sur les bruyères, soufflait le vent de l'ouest,
c'était Odin qui chassait. Bàrd n'oublierait surtout
pas de laisser trois épis debout dans les champs que
lui et les siens abandonneraient bientôt ; ce serait la
part d'Odin pour nourrir ses chevaux célestes.

Les neiges n'avaient pas encore cessé que Gunnar
mobilisa tous les bondis. Du matin au soir, s'arrachant péniblement aux couches humides, les hommes
s'attaquèrent à la forêt, abattant les meilleurs chênes
et les plus hauts pins. De bûcherons ils devinrent
charpentiers de proue, forgerons et calfateurs. Ils
maniaient avec autant de dextérité la tarière à creu-
ser le bois, le doloire pour débiter les troncs noueux et
en tirer de grosses poutres, la gouge, le racloir, le
marteau, les pinces et les tenailles. Une journée ils
assemblaient la quille aux massifs d'étrave et de
poupe, le lendemain ils posaient les bordés, les cal-
fataient et montaient enfin les couples et les barrots.
Ils dressaient ensuite les mâts, très lourds car taillés
dans du bois de pin. Venaient alors les bordés qui se
chevauchaient, comme de longues tuiles, solidement
rivés aux membrures par des taquets de bois. D'autres
s'occupaient de lisser les rames et de percer les trous
de nage. Les femmes tissaient sans relâche pour

fabriquer d'immenses voiles rectangulaires, en laine
brute de double épaisseur, qu'on hisserait en haute
mer. Enfin, les artisans érigèrent en proue et en
poupe des têtes de dragons aux gueules menaçantes,
finement ciselées, censées prémunir les équipages
contre les esprits maléfiques de la mer. En quelques
semaines, six drakkars étaient prêts à entreprendre
la route vers l'inconnu.

Satisfait, Gunnar ordonna que l'on mît les navires
à l'abri des brisants. De grandes côtes de baleine furent enfoncées dans le sol pour servir de rouleaux et
leurs bouts furent assurés par des pierres. À force de
bras, les hommes halèrent ensuite chaque drakkar
sur une haute dune de galets, loin du ressac. Le jarl
savait qu'il ne restait plus qu'à armer les navires pour
pouvoir appareiller. Mais, auparavant, tous devaient
rendre un ultime hommage aux dieux. Gunnar convo-
qua Einar Barbe-de-Soie, un homme à la stature d'aigle, chevelure et barbe blanches, connu dans toutes les
régions de Urnes comme le maître des runes.

— Que disent les runes ? demanda Gunnar.

Einar interrogea la volonté des dieux. Lui aussi,
comme Odin, avait élevé avec autant de soin que de
patience trois corbeaux avec lesquels il s'entretenait
familièrement. Il les envoyait, dociles comme des
pigeons, survoler la contrée au moment des grands
bouleversements de saisons, afin qu'ils lui rapportas-
sent des signes prémonitoires.

— La mer et les vents seront à notre service, dit-il
simplement. Ils nous jetteront où nous voulons aller.
C'est ce que dit le chant du premier corbeau...

Il consulta ensuite les runes sculptées sur les rochers, sur certaines pierres et stèles, et sur les écorces
des arbres. Pour la plupart, elles énonçaient des sen-
tences religieuses ou mentionnaient les noms des divinités. Ces runes, depuis la nuit des temps, avaient
autant une valeur pratique pour l'échange des pensées

qu'une valeur mystérieuse et sacrée. Chaque signe
runique avait sa vertu propre et son caractère ma-
gique. Le maître des runes, seul, pouvait interpréter
leur sens et utiliser leur redoutable puissance.

Les mains d'Einar coururent sur la pierre, ses doigts
agiles retraçant les traits incrustés. Il murmura :

— Ainsi parle Odin : je sais que je pendis à l'arbre
battu des vents neuf nuits pleines...

Il continua à palper la pierre froide. Quel signe
annoncera l'orage ? Quel autre prédira le mauvais
œil ? Les morts seront-ils ranimés dans les tumulus ?

— Tous les gibiers qui étaient dans les bois et
dans les champs oublièrent où ils devaient courir,
marmonna-t-il. Que vous êtes puissantes, ô runes ! Le
faucon gris s'était arrêté sur la branche. Il étendit ses
ailes sans pouvoir s'envoler. Que vous êtes puissantes,
ô runes ! La prairie fleurissait déjà ; tout se couvrait de
feuilles alentour. Que vous êtes puissantes, ô runes !
Féroce Ran a fait ravage autour de moi, la mer a
rompu les liens de ma race. Que vous êtes puissantes,
ô runes ! Nul n'obtient compensation de fils s'il n'en
engendre lui-même un autre qui soit estimé même
homme que son frère. Que vous êtes puissantes, ô
runes ! Il a doté d'un art l'ennemi du Loup et de cette
nature fera obliger le frère à se dévoiler. Que vous êtes
puissantes, ô runes !

Einar était épuisé. Il observa un long silence,
prostré, les bras ballants.

— Est-ce tout ce que disent les runes ? questionna
Gunnar.

Einar se redressa lentement.

— Il ne faut pas abuser du chant du corbeau d'O-
din, observa-t-il, car quel est le voyageur pour lequel
le ciel et la terre n'ont aucun secret ? Les runes viennent de te livrer le destin de ton clan, Gunnar ! Te
faut-il aussi savoir quand tu chevaucheras jusqu'au
Valhöll ?

— De quel fils parlent les runes? s'inquiéta le jarl.

— Bàrd l'Épée n'a-t-il pas reconnu pour sien un
mâle et rejeté un autre?

Gunnar approuva en silence.

— Odin, poursuivit le maître des runes en fixant
Gunnar, a demandé au géant Gagnandr quelles
étaient les paroles que lui-même, Odin, avait mur-
murées dans l'oreille de son fils Baldr, au moment où
ce dernier était placé sur le bûcher. «Aucun mortel ne
peut savoir les paroles sauf toi, Odin, qui les a mur-
murées à l'oreille de ton fils, au commencement des
âges», répondit le géant. «Voici que je lis maintenant
ma condamnation écrite en caractères magiques et
décrétée par les destinées célestes, parce que j'ai osé
discuter sur la science sacrée avec Odin, le plus
savant de tous les dieux!» Il ne faut pas tenter Odin,
ajouta Einar en baissant le ton, car nous risquerions
de nous égarer pour toujours. Un secret peut être
gardé fidèlement par une personne et pour un temps,
mais il n'y a pas de secret ni de temps pour les dieux!

Pour honorer les dieux une dernière fois, le **blot**
sacrificiel eut lieu dans le bois sacré situé à quelque
distance des fermes. Neuf nuits pleines, ainsi que
l'avait annoncé le maître des runes. Chaque nuit on
sacrifia un homme, à l'épée ou à la hache. Les vic-
times furent choisies parmi les plus vieux et les plus
faibles du clan; neuf têtes humaines pour apaiser les
dieux. Le sang fut recueilli dans un vase sacré et ser-
vit à des aspersions et aux augures. Les corps furent
pendus dans le bosquet, et avec eux, des chiens et
des chevaux, les uns à côté des autres, dans un en-
chevêtrement de cadavres exsangues. Ils les laissèrent là afin que les rapaces puissent s'en repaître.
Ainsi, lorsque les lieux seraient abandonnés par le
clan, y aurait-il pour toujours des murmures étran-
ges et lugubres dans le bois sacré; pour chaque arbre
qui aurait porté dans ses branches les pendus de

Urnes, la rumeur d'une légende qu'emporterait le temps.

▼

Les jours allongeaient, le soleil montait plus haut et les nuits raccourcissaient au même rythme.

— Nous ne fouinerons plus dans ces terres, annonça Gunnar un matin. Les vents deviennent favorables et nous n'avons plus à craindre ni brisants ni hauts-fonds. Nous ne nous soumettrons à aucun roi et les grands marchés nous attendent...

Ils échouèrent les navires à marée basse et dressèrent les mâts à l'aide d'étais. Puis ils chargèrent les outils, les armes, les ustensiles et les fourrures pour les arrimer sur les demi-ponts avant et arrière. Sur le rivage ils entassèrent le foin pour les animaux et le roulèrent en ballots. Les hommes les plus vigoureux montèrent des barils d'eau douce, de poisson séché et de viande salée. Vinrent enfin les animaux qu'on attacha aux poutres. Les embarcations de secours furent installées sur les côtés des cales à ciel ouvert. On remisa soigneusement trois cents aunes de bonne laine pour réparer les toiles, un bon nombre de grosses aiguilles et une réserve de fil et de câble, ainsi qu'une quantité de clous, d'épissoirs et de rivets.

Le moment du départ était arrivé. C'était l'adieu à la terre des ancêtres : la Norvège des fjords et des montagnes ; la terre verte et blanche.

Les quilles de chêne raclèrent doucement le fond sablonneux, puis glissèrent silencieusement sous la poussée énergique des rames. Les drakkars s'éloignaient peu à peu de la côte. Les proues se soulevaient à peine. Avec leur coque profonde, une lisse assez haute et un bordé mince, ces navires pouvaient être portés comme des feuilles par la houle océanique. Les proues et les poupes fortement recourbées

permettaient aux timoniers de manœuvrer le navire
en douceur même par fortes vagues arrières : la
poupe fendait les montagnes d'eau aussi aisément
que la proue et, ainsi soulevée, empêchait le navire
d'embarquer de l'eau par l'arrière.

Ils naviguèrent en direction de la cité marchande
de Hedeby, située sur la rive orientale du Jutland.
C'était une ville sale et bruyante, dont les habitants,
des Vikings danois, accrochaient des animaux sa-
crifiés à des poteaux plantés devant leurs maisons.
La cité occupait un site privilégié à l'abri d'une baie
où de petites embarcations pouvaient s'échouer pour
être chargées, déchargées ou réparées. Les drakkars,
plus imposants, étaient amarrés à un robuste brise-
lames en bois disposé en demi-cercle. Les portes de la
cité étaient surmontées de tours de guet. Un fossé
entourait les fortifications. Un ruisseau coulait au
cœur de la cité et ses rives étaient épaulées par des
murs de soutènement. Entre les murs et les habita-
tions, les marchands plantaient leur tente encombrée
de joaillerie, de peaux, de tissus, de verroterie et
d'esclaves. Les rues étroites de la cité regorgeaient
de monde et d'animaux. Des caillebotis en bois les
protégeaient de la boue du dégel printanier. On y
retrouvait, pêle-mêle, de tristes cheptels d'esclaves,
des artisans sculptant des manches de poignards
dans des bois de rennes, des forgerons attisant leurs
feux, des porcs et des chèvres emmenés au marché.

Gunnar s'était adonné à un rapide négoce qui lui
avait rapporté quelques esclaves avant de cingler
vers Birka, la grande cité marchande sise sur les
bords du lac Malar. L'accès à Birka n'était pas facile.
Les navires durent se faufiler au milieu d'un dédale
impressionnant d'îles et de hauts-fonds, traverser
ensuite un goulot très resserré, louvoyer entre d'in-
nombrables îlots avant d'atteindre l'île de Bjorko où,
enfin, se trouvait Birka.

L'accès à la ville était protégé par un à-pic rocheux et, plus loin, par un épais rempart de terre. L'activité marchande commençait au bord même de l'eau. Des hommes, soit en pataugeant dans l'eau boueuse, soit à l'aide de barques, chargeaient et déchargeaient les navires. Ces derniers étaient amarrés à des pieux de chêne enfoncés dans un banc de sable.

Le marché de Birka regorgeait de vivres et de marchandises qui allaient et venaient au gré d'un flot incessant de troc. L'orge, le poisson, la viande, les outils s'échangeaient contre les peaux de cheval et de chèvre ; les poignées d'épées contre des noix, des noisettes et des glands de chêne ; l'ivoire de morse contre le bois des andouillers de rennes. Parmi toutes les ressources, les fourrures occupaient toutefois une position privilégiée. Des zibelines noires, des renards au poil roux, des fourrures de lynx semblables à une frondaison printanière, du castor sans poil, du petit-gris brillant et des gros paquets de fourrure d'hermine s'entassaient à dos d'âne et attisaient toutes les convoitises. Ces précieuses fourrures empilées valaient en échange plusieurs esclaves francs, celtes ou irlandais ; ou encore de grandes jarres en céramique à deux anses, emplies de vins blancs et parfumés ; même des trésors d'argenterie arrachés aux autels irlandais ainsi que des broches ouvragées et une certaine quantité de pièces d'argent.

Lorsque Gunnar et les bondis quittèrent le site grouillant de Birka, ils savaient que les drakkars ne risquaient plus de s'écraser contre les énormes récifs disséminés près des côtes car ils devaient maintenant s'aventurer sur l'immensité déserte de l'océan de l'ouest ; un monde de brouillards, de vents contraires, de courants perfides ; peut-être même un gouffre fourmillant de monstres. Que trouveraient-ils de l'autre côté des brumes ? Y avait-il un pays aux fins herbages ou un désert où les plus gros arbres ne

seraient que des bouleaux rabougris? Les girouettes
aux motifs ajourés, montées sur les proues et les
têtes de mâts, frissonnaient au moindre souffle de
vent. Les figures de dragons, menaçantes, pointaient
droit vers le soleil. Déjà l'astre restait au-dessus de
l'horizon pendant une grande partie du jour et de la
nuit. Les vents tournaient franchement à l'ouest
alors qu'à la tombée de la première nuit de grand
large, les uns et les autres se serraient dans des sacs
de couchage en peau, en palpant les amulettes gra-
vées de runes et en invoquant les dieux.

▼

Pendant quatre jours et quatre nuits, Gunnar se
tint en proue de son drakkar, son regard bleu rivé à
l'horizon. Les traits de son visage buriné, barré de
moustaches farouches et d'une barbe embroussaillée,
étaient de plus en plus ravagés par les embruns sa-
lés.

Jusque-là, la mer s'était levée tôt, calme, fraîche
et riante. Mais un brusque coup de vent plongea le
clan entassé dans les six drakkars dans une lutte
désespérée pour sa survie. Le gréement claqua lugu-
brement dans la bourrasque. Dans chaque bateau,
des hommes se précipitaient pour écoper l'eau qui
pénétrait en trombes par-dessus bord. On tentait
d'apaiser les animaux et de protéger les enfants sur
le pont. À l'arrière, les timoniers soulevaient les bar-
res pour que les navires puissent éviter les énormes
vagues. Les neuf filles d'Aegir, déesse des océans,
étaient déchaînées et chacune d'elles, la Hurleuse ou
l'Attrapeuse, essayait d'attirer un drakkar vers les
abîmes.

La mer était terrible. L'air sentait la moisissure et
la laine mouillée. Le vent soufflait de tous côtés, en
rafales grondantes. Il creusait des lames profondes

comme des vallées. Les hommes, arc-boutés, le ventre collé sur les genoux, agrippaient le bois mouillé des rames. Pliés sous les rafales, en lutte continue, ils s'efforçaient de garder les drakkars en ligne, afin d'éviter d'être pris en travers par les vagues déferlantes.

Des paquets de mer s'abattaient sur les bâtiments, roulant avec eux des débris que les hommes, immergés dans l'eau glacée jusqu'au ventre, déblayaient à coups de hache.

Ils tinrent ainsi des jours. Une partie du bétail et plusieurs enfants moururent. On les jeta par-dessus bord. Mais alors qu'ils désespéraient sans pourtant jamais abandonner, le calme survint et avec lui, un épais brouillard qui effaça jusqu'au reflet de la mer. Pendant combien de temps avaient duré ces rafales, ces vents contraires, ces vagues hurlantes? Difficile à dire, puisque les hommes ne se souvenaient même plus de la dernière nuit pure, brillante d'étoiles.

Lorsque le brouillard se dissipa brusquement, les hommes, exténués, crurent au mirage. Devant eux se dressait un promontoire de falaises noirâtres, coupées de failles. Ils aperçurent aussi, crucifiées sur des récifs qui couraient à fleur d'eau, les épaves de plusieurs drakkars, avec leurs tronçons de mâts, leurs ponts défoncés, leurs membrures déjà rongées par l'humidité et le sel de mer. Ils ressemblaient à des fantômes traînant avec eux les ombres de leurs équipages disparus.

— De la chair d'Ymir la terre fut façonnée, et de ses os, les montagnes; le ciel fut le crâne du géant froid comme le givre, et son sang fut la mer, murmura Einar, le maître des runes, en contemplant les formes ravagées. Odin changeait de forme. Alors son corps gisait comme endormi ou mort, mais lui était oiseau ou bête, poisson ou serpent, et allait en un clin d'œil dans les pays lointains. Nos esprits tutélaires nous attendent, beaucoup plus loin, car ici il n'y a que champ de ténèbres!

Sitôt, d'autres vents les repoussèrent, et ce qui ne fut qu'une brève vision disparut à l'horizon. Ils essuyèrent alors une tempête de neige, suivie d'une longue errance dans d'interminables bancs de brouillard, sortant de l'un pour être aussitôt avalés par un autre. Ici et là, ils entendaient la plainte étouffée des cornes de brume. Depuis des jours, Gunnar avait perdu de vue les autres drakkars, aussi se réjouissait-il de ces sons, si distants fussent-ils. Cela signifiait que des équipages étaient toujours à flot.

Le roulis violent de la longue houle avait cessé. Les brumes se dissipaient peu à peu. L'étendue bleue d'une mer sans vent se précisait à nouveau.

— Einar, commanda le jarl, lâche un corbeau!

Le gros volatile prit son envol en croassant. Il s'écoula un certain temps. L'oiseau revint en battant bruyamment des ailes.

Gunnar continuait de scruter la mer. L'eau, à peine ridée par des vaguelettes, était d'un bleu métallique.

— Einar, ordonna-t-il de nouveau, lâche un autre corbeau!

L'oiseau revint encore une fois. Pourtant, Gunnar ne doutait plus: l'eau avait changé de couleur et la précieuse pierre solaire qu'il consultait fréquemment avait viré du jaune au bleu. La terre ne pouvait être loin.

— Là, hurla un des hommes, le grand poisson noir des abysses!

Tous virent le jet d'eau puissant du mammifère qui venait de faire surface.

Gunnar se rappelait l'histoire qu'il avait entendue dans son enfance. On racontait que l'ancêtre du clan, Ottar le Chasseur, avait tué un tel poisson, de cinquante aunes de long, près de la mer des glaces, là où aucun Viking ne s'était aventuré!

— Einar, lâche le dernier corbeau !

L'attente fut interminable. Tous les yeux épiaient le ciel avec anxiété ; des yeux brûlés par le sel et les intempéries. Le corbeau ne revint pas.

Longtemps encore, Gunnar resta immobile, se confondant presque avec l'effigie de dragon montée en proue. Seuls ses yeux étaient vivants, scrutant à la fois la mer, le ciel et l'horizon. Puis il fit un grand geste de la main :

— Prenez cette direction, hurla-t-il presque. Sortez les rames et nagez... Nagez de toutes vos forces ! Nous avons passé les ténèbres et vaincu les filles d'Aegir ! Devant nous, là, il y a une terre dont les pierres brillent comme le soleil !

Ils ramèrent toute une nuit. À l'aube, trempés de sueur, ils virent les contours d'une terre. Lentement, la côte se précisa. Elle était toute de pierre, tombait de très haut dans la mer, en plis noirs, monumentaux, dessinant des baies, sculptant des fjords. Dans le lointain, une étendue blanche, brillante, véritable plaine de neige sans fin. Au ras de l'eau, les falaises noires et grises constituaient un paysage de commencement du monde. On entendait le cri douloureux du vent qui heurtait les murailles de roc comme s'il se fut agi d'une complainte des dieux.

Les arrivants avaient vaincu les périls de la mer et triomphé des embûches de Ran. Gunnar s'en réjouissait profondément et il interpella Svann, le scalde.

— Alors, Svann, as-tu perdu la voix ?

Le scalde sourit en toute candeur.

— Crois-tu donc, Gunnar, que tu mérites un éloge, répliqua-t-il, alors que voilà plus de cent hivers Ingolf a mis pied au lieu où le soleil luit au milieu de la nuit ?

Ses paroles hardies provoquèrent un éclat de rire général. Sur quoi Svann le scalde déclama d'une voix mélodieuse :

— Par-dessus les lames qui déferlent,
La voile gonflée, le nez écumant
Tel un oiseau filait le navire
Jusqu'à ce qu'au jour prochain
Resplendissent les falaises, les collines élevées
Et l'étendue de la terre.
Le grand large était vaincu.
Qui est cet homme inconnu de moi
qui a suscité mon périlleux voyage ?
J'étais noyé de neige et battu de pluie
et trempé de rosée !
J'étais poussé entre les bras des filles d'Aegir
et déjà tiré vers le monde des Brumes !
Et cet homme inconnu de moi a chevauché la nef
Pour s'asseoir encore sur le haut-siège.
Si je vois des sorcières chevaucher par les airs
je ferai en sorte que Gunnar les égare !

Gunnar le remercia d'un geste. Puis il ordonna à ses hommes de lancer à la mer les **innstafar** et le haut-siège.

— Nous réalisons les oracles des dieux, dit-il. Nous nous établirons là où les vents et les vagues les pousseront à s'échouer.

Les hommes jetèrent à la mer les chambranles des portes de la demeure abandonnée de Gunnar et les grands piliers de bois de son ancien logis à Urnes.

Sur ce, Gunnar se confia au maître des runes. Il lui fit part que deux drakkars manquaient toujours à l'appel des cornes de brume et qu'ils avaient probablement été engloutis.

— Cela m'est dur, avoua-t-il à Einar, de penser que ma maison commence à mourir comme les branches dans les gémissements de la tempête. Cruel est le vide que la mer grondante a creusé dans les rangs si serrés de mon clan !

— Ran a réclamé sa part dans ta victoire sur le grand large, dit à son tour le maître des runes. Tu dois